GOSCINNY ET UDERZO
PRÉSENTENT
UNE AVENTURE D'ASTÉRIX

LE DEVIN

Texte de **René GOSCINNY**   Dessins d'**Albert UDERZO**

H HACHETTE

HACHETTE LIVRE - 43, quai de Grenelle, 75905 Paris Cedex 15

www.asterix.com

AVEZ-VOUS TOUT LU ?

LES ALBUMS D'ASTÉRIX LE GAULOIS

AUX ÉDITIONS HACHETTE
LES AVENTURES D'ASTÉRIX LE GAULOIS

1   ASTÉRIX LE GAULOIS
2   LA SERPE D'OR
3   ASTÉRIX ET LES GOTHS
4   ASTÉRIX GLADIATEUR
5   LE TOUR DE GAULE D'ASTÉRIX
6   ASTÉRIX ET CLÉOPÂTRE
7   LE COMBAT DES CHEFS
8   ASTÉRIX CHEZ LES BRETONS
9   ASTÉRIX ET LES NORMANDS
10 ASTÉRIX LÉGIONNAIRE
11 LE BOUCLIER ARVERNE
12 ASTÉRIX AUX JEUX OLYMPIQUES
13 ASTÉRIX ET LE CHAUDRON
14 ASTÉRIX EN HISPANIE
15 LA ZIZANIE
16 ASTÉRIX CHEZ LES HELVÈTES
17 LE DOMAINE DES DIEUX
18 LES LAURIERS DE CÉSAR
19 LE DEVIN
20 ASTÉRIX EN CORSE
21 LE CADEAU DE CÉSAR
22 LA GRANDE TRAVERSÉE
23 OBÉLIX ET COMPAGNIE
24 ASTÉRIX CHEZ LES BELGES

ALBUM DE FILM
LES DOUZE TRAVAUX D'ASTÉRIX

AUX ÉDITIONS ALBERT RENÉ
LES AVENTURES D'ASTÉRIX LE GAULOIS

25 LE GRAND FOSSÉ
26 L'ODYSSÉE D'ASTÉRIX
27 LE FILS D'ASTÉRIX
28 ASTÉRIX CHEZ RAHÀZADE
29 LA ROSE ET LE GLAIVE
30 LA GALÈRE D'OBÉLIX
31 ASTÉRIX ET LATRAVIATA

ASTÉRIX ET LA RENTRÉE GAULOISE

HORS COLLECTION
LE LIVRE D'ASTÉRIX LE GAULOIS
LA GALÈRE D'OBÉLIX
ASTÉRIX ET LATRAVIATA - L'ALBUM DES CRAYONNÉS

ALBUMS DE FILM
LA SURPRISE DE CÉSAR
LE COUP DU MENHIR
ASTÉRIX ET LES INDIENS

ALBUM ILLUSTRÉ
COMMENT OBÉLIX EST TOMBÉ DANS LA MARMITE
DU DRUIDE QUAND IL ÉTAIT PETIT

DES MÊMES AUTEURS AUX ÉDITIONS ALBERT RENÉ

LES AVENTURES D'OUMPAH-PAH LE PEAU-ROUGE

OUMPAH-PAH LE PEAU-ROUGE
OUMPAH-PAH SUR LE SENTIER DE LA GUERRE / OUMPAH-PAH ET LES PIRATES
OUMPAH-PAH ET LA MISSION SECRÈTE / OUMPAH-PAH CONTRE FOIE-MALADE

LES AVENTURES DE JEHAN PISTOLET

JEHAN PISTOLET, CORSAIRE PRODIGIEUX
JEHAN PISTOLET, CORSAIRE DU ROY
JEHAN PISTOLET ET L'ESPION
JEHAN PISTOLET EN AMÉRIQUE

© 1972 GOSCINNY-UDERZO
© 2000 HACHETTE
Dépôt légal : 65127 - Décembre 2005 - Édition 02 - ISBN 2-01-210151-8
Imprimé en France par *Clerc*, relié par *Brun*.

Loi n° 49-956 du 16 juillet 1949 sur les publications destinées à la jeunesse.

BELGIQVE

VILLAGE GAVLOIS

PETIBONVM

LAVDANVM

AQVARIVM

BABAORVM

ARMORIQVE

IVTECE

SPQR

GAVLE
(CONQVETE ROMAINE)
50 avant J.C.

CELTIQVE

AQVITAINE

PROVINCE
ROMAINE

NOUS SOMMES EN 50 AVANT JÉSUS-CHRIST. TOUTE LA GAULE EST
OCCUPÉE PAR LES ROMAINS... TOUTE ? NON ! UN VILLAGE PEUPLÉ
D'IRRÉDUCTIBLES GAULOIS RÉSISTE ENCORE ET TOUJOURS À L'ENVAHISSEUR.
ET LA VIE N'EST PAS FACILE POUR LES GARNISONS DE LÉGIONNAIRES
ROMAINS DES CAMPS RETRANCHÉS DE BABAORUM, AQUARIUM,
LAUDANUM ET PETIBONUM...

ASTÉRIX, LE HÉROS DE CES AVENTURES. PETIT GUERRIER À L'ESPRIT MALIN, À L'INTELLIGENCE VIVE, TOUTES LES MISSIONS PÉRILLEUSES LUI SONT CONFIÉES SANS HÉSITATION. ASTÉRIX TIRE SA FORCE SURHUMAINE DE LA POTION MAGIQUE DU DRUIDE PANORAMIX...

OBÉLIX EST L'INSÉPARABLE AMI D'ASTÉRIX. LIVREUR DE MENHIRS DE SON ÉTAT, GRAND AMATEUR DE SANGLIERS ET DE BELLES BAGARRES. OBÉLIX EST PRÊT À TOUT ABANDONNER POUR SUIVRE ASTÉRIX DANS UNE NOUVELLE AVENTURE. IL EST ACCOMPAGNÉ PAR IDÉFIX, LE SEUL CHIEN ÉCOLOGISTE CONNU, QUI HURLE DE DÉSESPOIR QUAND ON ABAT UN ARBRE.

PANORAMIX, LE DRUIDE VÉNÉRABLE DU VILLAGE, CUEILLE LE GUI ET PRÉPARE DES POTIONS MAGIQUES. SA PLUS GRANDE RÉUSSITE EST LA POTION QUI DONNE UNE FORCE SURHUMAINE AU CONSOMMATEUR. MAIS PANORAMIX A D'AUTRES RECETTES EN RÉSERVE...

ASSURANCETOURIX, C'EST LE BARDE. LES OPINIONS SUR SON TALENT SONT PARTAGÉES : LUI, IL TROUVE QU'IL EST GÉNIAL, TOUS LES AUTRES PENSENT QU'IL EST INNOMMABLE. MAIS QUAND IL NE DIT RIEN, C'EST UN GAI COMPAGNON, FORT APPRÉCIÉ...

ABRARACOURCIX, ENFIN, EST LE CHEF DE LA TRIBU. MAJESTUEUX, COURAGEUX, OMBRAGEUX, LE VIEUX GUERRIER EST RESPECTÉ PAR SES HOMMES, CRAINT PAR SES ENNEMIS. ABRARACOURCIX NE CRAINT QU'UNE CHOSE : C'EST QUE LE CIEL LUI TOMBE SUR LA TÊTE, MAIS COMME IL LE DIT LUI-MÊME : "C'EST PAS DEMAIN LA VEILLE !"

LES GAULOIS N'ONT PEUR QUE D'UNE CHOSE : C'EST QUE LE CIEL LEUR TOMBE SUR LA TÊTE... ET LE MOMENT SEMBLE VENU, CAR LE PETIT VILLAGE QUE NOUS CONNAISSONS BIEN, EST ÉCRASÉ SOUS UN EFFROYABLE ORAGE.

BRRRAOMM!

TOUS LES NOTABLES SONT RÉUNIS DANS LA MAISON DU CHEF ABRARACOURCIX...

ET PANORAMIX, NOTRE DRUIDE, QUI EST PARTI À SA RÉUNION ANNUELLE DE LA FORÊT DES CARNUTES... LUI NOUS PROTÉGERAIT.

MAIS NOUS N'AVONS RIEN À CRAINDRE ! CE N'EST PAS LA PREMIÈRE FOIS QU'UN ORAGE S'ABAT SUR LE VILLAGE. CELUI-CI EST UN PEU FORT, D'ACCORD, MAIS...

SI JE CHANTAIS QUELQUE CHOSE POUR NOUS DONNER DU COURAGE ?

BRRRAOM!

C'EST TARANIS, LE DIEU DU TONNERRE QUI PROTESTE !

IL EST PAS FOU, TARANIS !

5

BAH! NOTRE DRUIDE EST ABSENT, MAIS TOUTATIS, LE DIEU DE LA TRIBU NOUS PROTÈGE.

PEUT-ÊTRE, MAIS SUCELLUS, LE DIEU DES MORTS, RISQUE D'ÊTRE RÉVEILLÉ PAR TARANIS!

BELENOS, LE DIEU GUÉRISSEUR, SURVEILLE SUCELLUS.

ET N'OUBLIONS PAS QU'ÉSUS, LE DIEU DE LA VIE, TRAVAILLE LA MAIN DANS LA MAIN AVEC SUCELLUS!

MAIS SI ÉPONA, DÉESSE DE LA GUERRE A SEMÉ LA DISCORDE PARMI EUX?

AH OUI! ILS EN ONT DES DIEUX, LES GAULOIS! PLUS DE QUATRE CENTS DIEUX SE BOUSCULENT DANS LE PANTHÉON. IL Y A DES DIEUX POUR TOUT : POUR LES ARBRES, LES ROUTES, LES FLEUVES. CERTAINS, POUR S'Y RETROUVER NUMÉROTENT LES DIEUX. (SÉQUANA, PAR EXEMPLE, DÉESSE DE LA SEINE, PORTE LE NUMÉRO 75.)

QU'ALLONS-NOUS FAIRE? QU'ALLONS-NOUS FAIRE?

SI ON MANGEAIT?

OBÉLIX A RAISON; CESSONS DE DIRE DES BÊTISES ET ATTENDONS UNE ÉCLAIRCIE EN NOUS AMUSANT!

JE POURRAIS VOUS CHANTER QUELQUE CHOSE D'ENTRAÎNANT...

BRRAOM!

TOC! TOC! TOC!

CRiiii

BRAOM!

EH BIEN ABRARACOURCIX NOTRE CHEF ? NE VAS-TU PAS ACCUEILLIR CE VISITEUR ?

OUI... OUI...

TIENS-MOI ÇA.

EH ?

QUI... QUI ES-TU ?

UN VOYAGEUR ÉGARÉ, SURPRIS PAR LA TEMPÊTE. ACCORDE-MOI L'ABRI SOUS TON TOIT JUSQU'À CE QUE S'APAISE LA COLÈRE DES DIEUX.

OUI... IL SEMBLERAIT QU'AMORA, DÉESSE DE LA MOUTARDE, SOIT MONTÉE AU NEZ DES AUTRES DIEUX...

TU LA CONNAIS CELLE-LÀ ?

ÇA DOIT ÊTRE UNE DÉESSE PARALLÈLE... IL FAUDRA FAIRE UNE ENQUÊTE.

ENTRE, VOYAGEUR. MA MAISON EST LA TIENNE. QUE POUVONS-NOUS FAIRE POUR TE RÉCONFORTER ?

IL A SÛREMENT TRÈS FAIM.

IL ME RESTE UN SANGLIER ET UN PEU DE LAIT DE CHÈVRE.

APPORTEZ LE TOUT. JE VAIS L'ACCOMPAGNER PENDANT QU'IL BOIT SON LAIT DE CHÈVRE.

SCROTCH! SCROTCH!

SCROTCH! SCROTCH!

QUEL EST TON NOM VOYAGEUR ?

JE ME NOMME PROLIX. JE PARCOURS LE PAYS ET JE M'ARRÊTE LÀ OÙ JE SAIS QUE JE SERAI BIEN REÇU. JE SAVAIS QUE L'ORAGE ALLAIT ÉCLATER, ET JE ME SUIS HÂTÉ VERS TA MAISON, OÙ JE SAVAIS QUE JE POUVAIS COMPTER SUR TON HOSPITALITÉ...

...MÊME SI CERTAINS ONT UNE DRÔLE DE FAÇON DE PARTAGER LE LAIT ET LE SANGLIER... MAIS ÇA, JE LE SAVAIS AUSSI.

CO... COMMENT SAVAIS-TU TOUT ÇA ?

JE SUIS UN DEVIN !

4A

UN DEVIN !?

HÉ, HÉ !

BRRRAOM !

QUELQU'UN, ICI, EST UN ESPRIT FORT ET TARANIS N'AIME PAS ÇA !

NON, C'EST SÛREMENT CET IMBÉCILE QUI ALLAIT SE METTRE À CHANTER. IL NE FAIT RIEN QU'EMBÊTER TARANIS !

MAIS JAMAIS DE LA VIE !

EXCUSE MES HOMMES, DEVIN. ILS PASSENT LEUR TEMPS À SE BAGARRER.

JE SAIS.

4B

LE SCEPTICISME D'ASTÉRIX N'Y FAIT RIEN. ACCABLÉS PAR TOUS LES DIEUX QUI LES PROTÈGENT ET LES MENACENT, LES PEUPLES DE L'ANTIQUITÉ VEULENT CONNAÎTRE À L'AVANCE LEURS CAPRICES. IL EST TEMPS D'OUVRIR UNE PARENTHÈSE...

PARENTHÈSE NÉCESSAIRE POUR PARLER DES DEVINS, ORACLES, PROPHÈTES, AUGURES, HARUSPICES, ET AUTRES INTERPRÈTES DES LIVRES SIBYLLINS...

Ô DEVIN! LES DIEUX FAVORISERONT-ILS LA RÉCOLTE?

LES DEVINS LISENT L'AVENIR DANS LE VOL DES OISEAUX...

OUI, PAYSAN! LES DIEUX FERONT PLEUVOIR POUR FERTILISER TON CHAMP!

...DANS L'APPÉTIT DES OIES SACRÉES...

LE FOIE GRAS SERA BON CETTE ANNÉE. AINSI L'ONT DÉCIDÉ LES DIEUX!

...ET SURTOUT DANS LES ENTRAILLES DES ANIMAUX SACRIFIÉS.

VOUS POUVEZ VOUS EMBARQUER. LES DIEUX SERONT CLÉMENTS. PAS LA MOINDRE TEMPÊTE À L'HORIZON.

LES RÉSULTATS NE SONT PAS TOUJOURS PROBANTS...

C'ÉTAIT ÉC'IT DANS LES T'IPES QU'IL DISAIT!

5 A

MÊME LES PLUS GRANDS CONSULTENT LES AUGURES...

...ET TANT QUE BRUTUS SERA PRÈS DE TOI, Ô CÉSAR, TU N'AURAS RIEN À CRAINDRE!

SI CERTAINS VISIONNAIRES ONT UNE IDÉE RAISONNABLE DE CE QUE L'AVENIR PEUT APPORTER...

...EN GÉNÉRAL ILS DISENT N'IMPORTE QUOI!

BREF, CE SONT DES CHARLATANS QUI VIVENT DE LA CRÉDULITÉ, DE LA PEUR, DE LA SUPERSTITION DES HOMMES, ET REFERMONS LA PARENTHÈSE.

5 B

DEVIN, DEVIN! DIS-MOI SI LE CIEL EST EN TRAIN DE NOUS TOMBER SUR LA TÊTE!

IL ME FAUDRAIT UN ANIMAL POUR LIRE DANS SES ENTRAILLES.

ON POURRAIT ESSAYER AVEC UN SANGLIER RÔTI.

OBÉLIX, IL N'Y A PLUS DE SANGLIER!

ET AVEC CE QUI RESTE DE L'AUTRE, IL N'Y A PLUS GRAND CHOSE À LIRE.

MAIS LE CHIEN, LÀ, POURRAIT SERVIR... JE LIS TRÈS BIEN DANS LES CHIENS.

KAÏÏÏ!

LE PREMIER QUI TOUCHE À IDÉFIX, SE RAMASSE UNE BAFFE!

MÉFIE-TOI! LES PRÉDICTIONS D'OBÉLIX SE VÉRIFIENT SOUVENT.

BONG!

TANT PIS! JE NE POURRAI PAS SAVOIR LES INTENTIONS DES DIEUX.

MAIS L'ORAGE REDOUBLE DE VIOLENCE!

MOI JE PEUX APPORTER UN POISSON; J'EN VENDS.

ÇA PEUT ALLER... NOUS, LES DEVINS, NOUS ALLONS SOUVENT ACHETER DE LA LECTURE CHEZ NOS POISSONNIERS HABITUELS *

* LA TRADITION S'EST PERPÉ-TUÉE. DE NOS JOURS, LES POISSONNIERS ENVELOPPENT ENCORE LEUR MARCHANDISE DE JOURNAUX POUR QUE LES ACHETEURS PUISSENT AVOIR DE LA LECTURE.

PEU APRÈS...

10

PAR BORVO, DIEU DES SOURCES, ET PAR DAMONA, LA GÉNISSE, ET QUOI QU'EN PENSENT LES INCRÉDULES, JE VOIS QUE LE CIEL NE VOUS TOMBERA PAS SUR LA TÊTE, ET QU'APRÈS LA PLUIE, ARRIVERA LE BEAU TEMPS...

AH! ME VOICI SOULAGÉE!

JE VOIS AUSSI QU'UNE BAGARRE VA ÉCLATER.

SI PANORAMIX ÉTAIT LÀ, IL VOUS DIRAIT DE NE PAS CROIRE CET IMPOSTEUR! C'EST UNE HONTE!

MAIS, ASTÉRIX, LE POISSON A PARLÉ...

TOUT CE QUE L'ON PEUT PRÉDIRE EN EXAMINANT CE POISSON, C'EST QUE CELUI QUI LE MANGERA SERA MALADE!

ET POURQUOI DONC, JE VOUS PRIE?

PARCE QU'IL N'EST PAS FRAIS, TON POISSON!

LES NOUVELLES N'ÉTAIENT PAS DE LA TOUTE PREMIÈRE FRAÎCHEUR, EN EFFET... MAIS JE SUIS SÛR QUE LA LECTURE DE CE CHIEN NOUS DONNERA CONFIRMATION DE...

PERSONNE NE NOUS A JAMAIS LUS, ET PERSONNE NE NOUS LIRA!!!

PAS FRAIS, MON POISSON?

ÇA, IL FAUT AVOUER...MAINTENANT QU'ON L'A LU, TU DEVRAIS LE REFERMER ET LE RANGER...

SPLATCH!

TCHOC!

TCHONC!

TCHAC!

PAF!

PAF!

PAF!

TCHONC!

THONC!

BANG!

BANG!

BANG!

OUAH! OUAH!

11

BANG! TCHONC!
PAF PAF PAF PAF PAF PAF

CRii

COMME JE L'AVAIS PRÉDIT, APRÈS LA PLUIE LE BEAU TEMPS... JE VAIS DONC VOUS QUITTER, D'AUTRES ONT BESOIN DE MA SCIENCE...

MERCI POUR VOTRE CHARMANT ACCUEIL.

BON DÉBARRAS! J'ESPÈRE QUE VOUS CESSEREZ D'AGIR COMME DES IMBÉCILES, MAINTENANT!

8A

MAIS ASTÉRIX, IL A DIT QU'APRÈS LA PLUIE, LE BEAU TEMPS ARRIVERAIT...

LA BELLE AFFAIRE!...

ET LA BAGARRE? IL AVAIT PRÉDIT LA BAGARRE!

IL A VITE COMPRIS QUE LES BAGARRES ÉTAIENT MONNAIE COU-RANTE ICI... D'AILLEURS, DÈS QU'ON PARLE DE TES POISSONS, IL Y A UNE BAGARRE!

ÇA C'EST PAS VRAI!

EN TOUT CAS, ÇA N'ARRIVERAIT PAS S'ILS ÉTAIENT FRAIS.

SPLOTCH!

SI J'AVAIS PU PRÉVOIR QU'ILS ÉTAIENT AUSSI NAÏFS!... AH, LE HASARD FAIT BIEN LES CHOSES ET JE SUIS BIEN TOMBÉ, MOI QUI M'EN VOULAIS D'AVOIR ÉTÉ SURPRIS PAR L'ORAGE EN PLEINE CAMPAGNE!

PAF! BIMM! TCHAC! BOMMM!

8B

DEHORS! TOUS DEHORS!

J'AI DIT: TOUS DEHORS!

MAIS MIMINE... JE SUIS CHEZ MOI, TOUT DE MÊME...

DEHORS!

DIS DONC! ELLE Y VA AVEC SON BALAI!

NOUS AVONS PASSÉ LA PORTE?

OUI CHEF!

TOIIIING!

9A

DEVIN! DEVIN! ATTENDS-MOI!

IL FAUT JOUER SERRÉ. DANS LE DERNIER VILLAGE, ILS M'ONT SORTI À COUPS DE PIED... IL FAUT DIRE QU'ILS N'ÉTAIENT PAS FOUS, CEUX-LÀ!

9B

DEVIN, NE PARS PAS! JE VOUDRAIS TE CONSULTER AU SUJET DE MON AVENIR.

NON, NON, NON! IL Y A DES ESPRITS FORTS DANS TON VILLAGE!

CE PETIT BONHOMME À MOUSTACHES JAUNES ET CE GROS MONSTRE QUI NE VEUT PAS QU'ON LISE DANS SON CHIEN!...

CE SONT DES BARBARES... IL NE FAUT PAS FAIRE ATTENTION À EUX... RESTE!

SI JE RETOURNE AU VILLAGE, JE PRÉVOIS DES ENNUIS AVEC TES BARBARES... NE PEUX-TU PAS LES FAIRE CHASSER, CES DEUX-LÀ?

CHASSER ASTÉRIX ET OBÉLIX? OH NON!

ÉVIDEMMENT... JE POURRAIS M'INSTALLER DANS CETTE CLAIRIÈRE, EN ATTENDANT...

OH OUI! ET JE M'ARRANGERAI POUR QU'OBÉLIX ET ASTÉRIX NE VIENNENT PLUS DANS LA FORÊT.

JE T'APPORTERAI TOUT CE QU'IL TE FAUT... À MANGER...

NON! NON! NOUS, LES DEVINS, MENONS UNE VIE FAITE DE MÉDITATION...

APPORTE-MOI SEULEMENT DE QUOI LIRE : DES SANGLIERS, DES CANARDS, DES POULETS, DE LA PÂTISSERIE, DE LA CERVOISE...

TU LIS DANS LA CERVOISE, AUSSI?

SI ELLE EST BIEN TIRÉE, ELLE DEVIENT TRÈS LISIBLE!

TU AURAS TOUT ÇA... MAIS DIS-MOI CE QUE LES DIEUX ME RÉSERVENT POUR MON AVENIR...

HMM...

LE VOL DE CES HIRONDELLES ME DIT QUE TU NE PASSERAS PAS TOUTE TA VIE DANS CE VILLAGE MINABLE.

MAIS MON MARI EN EST LE CHEF!

IL SERA APPELÉ VERS DE PLUS HAUTES DESTINÉES... IL ME FAUDRAIT DES COUSSINS, AUSSI...

MON FRÈRE, LE RICHE HOMÉOPATIX LE PRENDRA COMME ASSOCIÉ DANS SES AFFAIRES À LUTÈCE?

J'ALLAIS LE DIRE. MAINTENANT LAISSE-MOI, JE DOIS MÉDITER.

NOUS ALLONS CHER--CHER DES SANGLIERS; UN PEU DE LECTURE NE PEUT PAS NOUS FAIRE DE MAL.

OÙ ALLEZ-VOUS?

MOI, JE NE LIS PAS, JE DÉVORE!

ET...ET VOUS ALLEZ DANS LA FORÊT POUR FAIRE ÇA?

LES SANGLIERS C'EST COMME LES CHAMPIGNONS, ÇA POUSSE AU PIED DES ARBRES.

MAIS ILS SONT TOUS BONS À MANGER, PAS COMME LES CHAMPIGNONS, CES IMBÉCILES.

ALLONS, VENEZ! JE VOUS INVITE À MANGER CHEZ MOI!

?!

?!

J'AMÈNE DES INVITÉS, COCHONNET!

COCHONNET?... TU NE M'AS PAS APPELÉ COCHONNET DEPUIS LE DÉBUT DE NOTRE MARIAGE!

JE T'AVAIS MAL JUGÉ, COCHONNET, JE SAIS QUE NOUS ALLONS ÊTRE TRÈS HEUREUX. OFFRE UNE CERVOISE À TES AMIS PENDANT QUE JE PRÉ--PARE LE REPAS, COCHONNET.

HGMMMMPFF!!

QU'EST-CE QUE VOUS AVEZ, VOUS DEUX?

HAHAHAHA HIHIHIHOHO!

EXCUSE-NOUS HIHIHIHOHO COCHONNET, NOTRE CH... HAHAHA!

HGMPFFFFFF!

C'EST PAS UN PEU FINI, NON ?

PUIS-JE SAVOIR POURQUOI TU AS INVITÉ CES DEUX RIGOLOS ?

MAIS PARCE QUE CE SONT LES DEUX MEILLEURS GUERRIERS DU VILLAGE, COCHONNET !

EN L'ABSENCE DE NOTRE DRUIDE QUI NOUS PRÉPARE DE LA POTION MAGIQUE, NOUS DEVONS LES GÂTER... LES ROMAINS POURRAIENT ATTAQUER LE VILLAGE, COCHONNET...

OH, LES ROMAINS SE TIENNENT TRAN--QUILLES EN CE MOMENT...

ON NE SAIT JAMAIS AVEC EUX, COCHONNET. ASTÉRIX ET OBÉLIX NE DEVRAIENT PLUS QUITTER LE VILLAGE POUR ALLER EN FORÊT.

MAIS, C'EST QUE NOUS AIMONS ALLER EN FORÊT, NOUS !

HGMPFFFFFF

HAHAHAHOHOH HIHIHIH HIHIHIH

AH, VOUS AIMEZ ALLER EN FORÊT ?... EH BIEN VOUS RESTEREZ À GARDER LE VILLAGE ! C'EST UN ORDRE !

TRÈS BIEN, COCHONNET.

HOUHOUHOU!

BANG!

VOUS MANGEREZ ICI TOUS LES JOURS, COMME ÇA JE POURRAI VOUS SURV... VOUS GÂTER.

SI CES IMBÉCILES VIENNENT ICI TOUS LES JOURS, IL FAUDRA QU'ILS CESSENT DE RIRE !

PRRFFF! PFF! PFF!

PLUS TARD...

Ô DEVIN, JE T'AI APPORTÉ DE QUOI LIRE MON AVENIR À LUTÈCE...

SUIS-JE SOTTE! CETTE OIE N'A PAS D'ENTRAILLES! ELLE EST FARCIE!

AUCUNE IMPORTANCE, J'AIME BIEN LIRE LES FARCES...

TU AURAS DE BEAUX VÊTEMENTS, LA PLUS BELLE MAISON DE LA VILLE, ET TU FERAS PARTIE DU TOUT LUTÈCE...

UN PEU PLUS TARD...

LALALALÈÈÈÈÈÈRE

QUE FAIS-TU ICI, BONEMINE ?

HEIN ?...EUH... JE CUEILLAIS DES CHAMPIGNONS.

JE VOIS QUE LA RÉCOLTE N'A PAS ÉTÉ BONNE...TU VEUX QUE JE T'AIDE ?

OH, ET PUIS DIAULE* ! JE VIENS DE CONSULTER LE DEVIN QUI EST RESTÉ DANS LA FORÊT, LÀ-BAS... MAIS SURTOUT N'EN PARLE À PERSONNE!

*FLÛTE GAULOISE.

ENCORE PLUS TARD...

...ET NE LE DIS À PER-SONNE, MAIS IL M'A PRÉDIT QU'AGECANONIX DEVIENDRAIT TRÈS TRÈS RICHE ET QUE J'AURAI DES TAS DE BIJOUX ...

TOUJOURS PLUS TARD...

OÙ VAS-TU?

ME...ME PROMENER EN FORÊT.

AVEC CES POISSONS?

BEN OUI. LES PAUVRES BÊTES ONT BIEN LE DROIT DE PRENDRE L'AIR, NON? ELLES NE VONT PAS SOUVENT EN FORÊT, AVOUE.

17

LE LENDEMAIN... — IL PARAÎT QUE TU AS DIT À MA FEMME QUE MON COMMERCE PROSPÉ-RERA ET QUE JE COUVRIRAI DE GRANDES SURFACES AVEC MES POISSONNERIES... — EN EFFET. POUR PLUS DE DÉTAILS, IL FAUDRAIT QUE JE LISE DANS DE L'OR.

DES SESTERCES POURRAIENT FAIRE L'AFFAIRE ? — OUI, MAIS N'OUBLIE PAS LE COURS OFFICIEL : IL FAUT CENT SESTERCES POUR FAIRE UN AUREUS ✳

✳ PIÈCE D'OR.

TIENS ? TU PROMÈNES TES POULETS ? — OUI... — COOOT?

TA FEMME PROMÈNE BIEN SES POISSONS. — CRÉTIN! — COOÔT!

EUH... JE... JE VAIS BOIRE UN COUP EN FORÊT...

IL SE PASSE DE DRÔLES DE CHOSES, ICI... — CE QUI SE PASSE, C'EST QU'ILS VONT TOUS DANS LA FORÊT ET QU'ILS ONT L'AIR CONTENTS...ET MOI, JE M'ENNUIE ICI À NE RIEN FAIRE!

POUR LES MENHIRS C'EST LA MORTE SAISON ET IDÉFIX S'ENNUIE APRÈS LES ARBRES!... — OÙ VAS-TU?

IL Y EN A QUI PROMÈNENT LEURS POISSONS OU LEUR VOLAILLE, MOI JE PROMÈNE MON CHIEN! ET TANT PIS POUR COCHONNET!

18

ÇA NOUS CHANGE DE L'AIR DU VILLAGE, HEIN, IDÉFIX?

OUAH! OUAH!

ON VA CHERCHER DES SANGLIERS. ILS DOIVENT ÊTRE INQUIETS DE NE PAS NOUS AVOIR VUS DEPUIS SI LONGTEMPS...

CHERCHE IDÉFIX, CHERCHE!

SNIFF! SNIFF! SNIFF!

?!!?

KAÏÏÏÏÏ!

?

IL Y A QUELQUE CHOSE QUI TE FAIT PEUR, LÀ-BAS?...MAIS IL NE FAUT PAS; C'EST NOUS QUI FAISONS PEUR!

EN EFFET...

?!!?

LE MONSTRE!

LE LECTEUR DE CHIENS!

ASTÉRIX T'A POURTANT DIT DE NE PAS RESTER ICI! DESCENDS, OU J'ARRACHE L'ARBRE!

JE VOIS UNE FEMME BLONDE...UNE TRÈS BELLE JEUNE FEMME BLONDE... QUI AIME LES GRANDS GUERRIERS ROUX AVEC DES TRESSES...

AVEC DES TRESSES?

19

OÙ EST-IL ?

OÙ EST QUI ?

TU L'AS CHASSÉ ! POURTANT, TON CHEF T'AVAIT INTERDIT DE VENIR EN FORÊT !

DE GRANDS MALHEURS VONT S'ABATTRE SUR NOUS ! LE DEVIN M'AVAIT PRÉVENUE !

LE DEVIN ? MAIS BONEMINE, ATTENDS-MOI !...

ASTÉRIX A CHASSÉ LE DEVIN !

C'EST DE LA FOLIE ! LE DEVIN A PRÉDIT DE GRANDS MALHEURS S'IL ÉTAIT CHASSÉ !

TU AS COMMIS UNE IMPRUDENCE, ASTÉRIX. MOI AUSSI, IL M'AVAIT PRÉVENU, LE DEVIN...

AH, PARCE QUE TU L'AVAIS CONSULTÉ, TOI AUSSI...

EUH... HUM... UNE FOIS SEULEMENT... GOUVERNER C'EST PRÉVOIR, ET...

IL M'AVAIT DIT QUE L'HOMME QUE J'AIME DEVIENDRAIT FORT ET BEAU !...

DE CE CÔTÉ LÀ, EN TOUT CAS, C'EST GAGNÉ.

ÉCOUTEZ : SI J'AVAIS SU QUE LE DEVIN ÉTAIT DANS LA FORÊT, JE L'AURAIS SANS DOUTE CHASSÉ ! MAIS JE NE LE SAVAIS PAS ET JE NE COMPRENDS RIEN À CE MYSTÈRE !

POISSONS CHEZ ORDRAI

L'EXPLICATION DU MYSTÈRE SE TROUVE EN CE MOMENT MÊME DANS LE CAMP RETRANCHÉ ROMAIN DE PETIBONUM...

AVÉ CENTURION CAÏUS FAIPALGUGUS!

AVÉ. TON RAPPORT!

BONG!

FAISANT LA PATROUILLE DONT À LAQUELLE VOUS NOUS AVIEZ DONNÉ L'ORDRE DE PROCÉDER, NOUS AVONS TROUVÉ DANS UNE CLAIRIÈRE CET INDIVIDU DONT LES EXPLICATIONS QU'IL NOUS A CAUSÉES NE NOUS ONT PAS PARU SATISFAISANTES.

ES-TU UN DE CES FOUS DU VILLAGE QUI NOUS RÉSISTENT ENCORE ET TOUJOURS ?

MOI ? OH NON, OH NON! JE NE RÉSISTE À PERSONNE !

MOI, JE NE SUIS QU'UN DEVIN.

UN DEVIN ?... TU ES UN VRAI DEVIN GAULOIS ?

MAIS OUI... PAR EXEMPLE, JE VOIS QUE VOUS ALLEZ MONTER EN GRADE.

TU N'AS PAS DE CHANCE, DEVIN; NOUS AVONS DES ORDRES DE ROME D'ARRÊTER TOUS LES DEVINS GAULOIS. NOS AUGURES ONT PRÉVENU CÉSAR QUE LES DEVINS GAULOIS SONT DANGEREUX POUR SA SÉCURITÉ...

TU SERAS DONC DÉPORTÉ DANS UNE MINE DE...

NON, NON, NON, NON. ASSEZ BLAGUÉ, MAINTENANT. JE NE SUIS PAS UN VRAI DEVIN, JE SUIS UN CHARLATAN.

JE PROFITE DE LA CRÉDULITÉ DES GENS POUR VIVRE SANS TRAVAILLER...

TU VIENS POURTANT DE PRÉDIRE QUE JE MONTERAI EN GRADE...

MAIS NON, MAIS NON, MAIS NON. ABSURDE, VOYONS...

JE DISAIS, AUSSI...

QUAND JE VOUDRAI TON AVIS, JE TE LE DEMANDERAI, IMBÉCILE! CE TYPE NE M'A PAS CONVAINCU! IL EST SUSPECT!

À VOS ORDRES, CENTURION !

BONG!

POC!

JE VAIS TE METTRE À L'ÉPREUVE POUR SAVOIR SI TU ES UN VRAI DEVIN...

DIS UN CHIFFRE DE I À XII

BEN... VII

JE SUIS TRANQUILLE, JE N'AI JAMAIS EU DE CHANCE AU JEU.

C'EST GAGNÉ. COUVREZ-LE DE CHAÎNES. J'AI SU QUE C'ÉTAIT UN VRAI DEVIN DÈS QU'IL A PRÉDIT QUE JE MONTERAI EN GRADE.

NON! SI J'ÉTAIS UN VRAI DEVIN, J'AURAIS DEVINÉ QUE LES DÉS ALLAIENT FAIRE VII, ALORS J'AURAIS DIT VIII, COMME ÇA VOUS N'AURIEZ PAS CRU QUE J'ÉTAIS UN VRAI DEVIN PUISQUE LES DÉS ONT FAIT VII ET PAS VIII!

Ô CENTURION, LES CHOSES QU'IL PARLE, LÀ, J'AI RIEN COMPRIS. ALORS, ON L'EMBARQUE?

JE SUIS UN IMPOSTEUR! J'AI FLATTÉ LES GENS DE CE VILLAGE POUR QU'ILS ME CROIENT! CE SONT DES NAÏFS, ILS CROIENT TOUT CE QUE JE LEUR RACONTE, ET...

...ILS CROIENT TOUT CE QUE TU LEUR RACONTES? ALORS, TU POURRAIS LEUR FAIRE PEUR? LES CONVAINCRE DE QUITTER LEUR VILLAGE?

AUSSI SÛR QUE V ET II FONT VII!

BIEN. SI TU RÉUSSIS À CHASSER CES FOUS DE LEUR VILLAGE, JE TE RENDS LA LIBERTÉ. SINON, LES MINES!

VA, ET N'ESSAIE PAS DE T'ENFUIR!

C'EST DONC UN IMPOSTEUR, L'INDIVIDU QUE VOUS AVEZ DISCUTÉ AVEC?

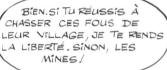

MAIS NON! C'EST UN VRAI DEVIN, MAIS IL VA TRAVAILLER POUR NOUS!

C'EST UNE GRANDE IMPRUDENCE QUE TU AS FAITE LÀ, ASTÉRIX! IL EST DANGEREUX DE DÉFIER UN DEVIN!

CET IMPOSTEUR A PRIS VOTRE OR, IL A VÉCU DE VOS VICTUAILLES, ET MAINTENANT, IL EST SIMPLEMENT PARTI CHERCHER D'AUTRES NAIFS!

JE NE CROIS PAS QUE C'ÉTAIT UN IMPOSTEUR. JE N'AIME PAS SES LECTURES, MAIS IL DISAIT DES CHOSES JUSTES.

OH NON, OBÉLIX! PAS TOI!

POUR UNE FOIS TON GROS COPAIN NE DIT PAS DE BÊTISES...

JE NE SUIS PAS GROS; JE SUIS UN GRAND GUERRIER ROUX À TRESSES.

REGARDEZ!

LE DEVIN! LE DEVIN EST REVENU!

OUI, JE SUIS REVENU POUR VOUS DIRE QUE LE MALHEUR EST SUR VOUS, GAULOIS! VOTRE VILLAGE EST MAUDIT PAR LES DIEUX!

L'AIR MÊME QUE VOUS RESPIRE-REZ VIENDRA DES PROFONDEURS INFERNALES! IL SERA NAUSÉABOND, EMPOISONNÉ, ET VOS VISAGES EN PERDRONT LES COULEURS DE LA VIE...

FUYEZ! FUYEZ IMPRUDENTS! C'EST VOTRE SEULE CHANCE DE SALUT! JE VOUS AVAIS PRÉVENUS!

20

ALLONS-Y LES ENFANTS! ON EMBARQUE!

METTEZ LES BATEAUX À LA MER!

ÇA VA AGECANONICHOU?

BLOUG GLOUB BLOUG!

TU CROIS VRAIMENT QU'IL RACONTE DES BLAGUES, LE DEVIN?

J'EN SUIS SÛR. JE NE SAIS PAS CE QU'IL A PU TE DIRE, MAIS MIEUX VAUT EN RIRE.

OH, JE N'AI PAS ENVIE DE RIGOLER.

ALLONS NOUS CACHER DANS LA FORÊT POUR VOIR CE QUI VA SE PASSER MAINTENANT.

PENDANT CE TEMPS...

ÇA Y EST! ILS SONT PARTIS! COMME JE VOUS L'AVAIS DIT!

JE N'EN DOUTAIS PAS. VOUS AVEZ DE GRANDS POUVOIRS VOUS, LES DEVINS.

BON. ALORS, ON L'EMBARQUE?

MAIS VOUS M'AVIEZ PROMIS DE ME LAISSER LIBRE! ET JE NE SUIS PAS UN DEVIN! JE SUIS UN MALIN, C'EST TOUT!

ALLONS VISITER LE VILLAGE POUR VÉRIFIER TES DIRES.

...ET J'AI EU L'IDÉE DE PARLER DE L'AIR NAUSÉABOND, PARCE QU'À LUTÈCE, J'HABITE PRÈS D'UNE TANNERIE, ET...

AH BON? CE N'EST PAS UNE VRAIE PRÉDICTION?

JE NE SAIS PAS FAIRE DE VRAIES PRÉDICTIONS! SI J'AVAIS PU PRÉVOIR COMMENT ÇA ALLAIT TOURNER, JE SERAIS RESTÉ PRÈS DE MA TANNERIE!

SILENCE!... NOUS SOMMES PRÈS DU VILLAGE... C'EST CALME, MAIS AVEC CES GAULOIS, ON NE SAIT JAMAIS!

UN VOLONTAIRE POUR ALLER EN ÉCLAIREUR.

PRÉSENT!

TU EMMÈNERAS LE DEVIN AVEC TOI.

JE L'AURAIS PARIÉ.

JE SAIS.

MAIS NON VOUS NE SAVEZ PAS!

ON L'EMBARQUE?

23

REGARDE, ASTÉRIX! IL Y EN A DEUX QUI SONT ENTRÉS! ON NE VA PAS LAISSER LES ROMAINS S'INSTALLER CHEZ NOUS, TOUT DE MÊME!

ILS NE FONT QUE PASSER. ÇA, JE TE LE PROMETS, OBÉLIX!

ON PEUT Y ALLER.

EUH... CENTURION... EST-CE BIEN PRUDENT? C'EST PEUT-ÊTRE UNE EMBUSCADE... VOUS SAVEZ COMMENT SONT CES GAULOIS...

MAIS NON MON BRAVE! LES DEVINS NE SE TROMPENT JAMAIS, VOYONS!... ALLONS, EN COLONNE PAR IV!

C'EST TOUJOURS ÉMOUVANT DE LIBÉRER UNE CITÉ!

C'EST COMME QUI DIRAIT DÉSERT ET INHABITÉ, Ô CENTURION!

CHEZ ORDRAL...

VA A ROME PORTER UN MESSAGE À CÉSAR. TU LUI DIRAS: "TOUTE LA GAULE EST OCCUPÉE", IL TE DEMANDERA: "TOUTE?", TU LUI RÉPONDRAS: "TOUTE!" IL COMPRENDRA.

VOUS MONTEREZ EN GRADE SÛREMENT, COMME QU'IL VOUS L'A PRÉVENU, LE DEVIN.

BIEN SÛR.

MAIS... MAIS JAMAIS DE LA VIE!

POURQUOI? LES DIEUX T'ONT PRÉVENU DE QUELQUE CHOSE DE MAUVAIS DANS MON AVENIR?

MAIS JE N'EN SAIS RIEN, MOI!

RÉPONDS, OU JE TE FAIS OUVRIR POUR LIRE DANS TES PROPRES ENTRAILLES!

NON! NON! VOUS MONTEREZ EN GRADE!

ALORS ON L'EMBARQUE.

ON NE VA PAS LES LAISSER CHEZ NOUS, ASTÉRIX! ON Y VA TOUS LES TROIS ET ON LES JETTE DEHORS!

NON! NOUS ALLONS LEUR DONNER UNE LEÇON : AUX ROMAINS, AU DEVIN, ET MÊME A CEUX DU VILLAGE!

N'AIE PAS PEUR, OBÉLIX. NOUS FERONS ENCORE UN BANQUET DANS LE VILLAGE! SOUVIENS-TOI DE CE QUE JE TE DIS!

EH BIEN, LES ENFANTS? ON CHASSE LE SANGLIER?

?

PANORAMIX, NOTRE DRUIDE!

REGARDEZ, PETITS! J'AI GAGNÉ LA MARMITE D'OR DU MEILLEUR DRUIDE AU COURS DE NOTRE RÉUNION ANNUELLE DE LA FORÊT DES CARNUTES!

25A

UNE RÉUNION TRÈS INTÉRESSANTE, D'AILLEURS. LE DRUIDE INFORMATIX NOUS A DIT DES CHOSES PASSIONNANTES SUR L'AVENIR DE LA PROFESSION...

MAIS QUELQUE CHOSE NE VA PAS, LES ENFANTS?

JE VAIS T'EXPLIQUER, Ô DRUIDE...

PEU APRÈS...

HMM... AIR NAUSÉABOND, EH? QUI FAIT PERDRE AUX VISAGES LES COULEURS DE LA VIE, EH?...

J'AI RAPPORTÉ QUELQUES PETITS INGRÉDIENTS AMUSANTS... DESCENDEZ-MOI CETTE BELLE MARMITE...

PARFAIT, PARFAIT... LE VENT VA BIENTÔT TOURNER... IL N'Y A PAS UN INSTANT À PERDRE.

25B

UN DEVIN, ÇA POURRAIT NOUS ÊTRE UTILE...

OUI, MAIS LES ORDRES SONT LES ORDRES, QUE JE DIS. ET IL FAUDRAIT MOYEN DE L'EMBARQUER SI C'EN EST UN.

MAIS ENFIN, J'AVAIS PRÉDIT QUE L'AIR SERAIT NAUSÉABOND DANS LE VILLAGE... EST-CE QUE ÇA SENT MAUVAIS, ICI?

PENDANT CE TEMPS...

ON POURRA Y GOÛTER?

NON, OBÉLIX! NON!

ATTENTION LES ENFANTS! NE RESTONS PAS SOUS LE VENT!

PSSCHCHCH

NON! OBÉLIX, NON!

SNIFF! SNIFF! SNIFF!

TU VOIS, ASTÉRIX, NOUS NE FAISONS JAMAIS DE JEUX DE MOTS, MAIS SI J'OSAIS, JE DIRAIS QUE VOILÀ LA POLLUTION À TOUS NOS PROBLÈMES!

TARANIS, DIEU DU TONNERRE ET DES TEMPÊTES, SE FAIT DOUX, POUR AIDER D'UN SOUFFLE À RÉPANDRE UN AIR AU FUMET ENCORE INHABITUEL, VERS 50 AVANT J.C. ...

BEEEURK!

DITES, VOUS NE TROUVEZ PAS QU'IL Y A UNE DRÔLE D'ODEUR, TOUT D'UN COUP?

SNIFF! SNIFF!

UNE DRÔLE D'ODEUR?...

OUI, UNE DRÔLE D'ODEUR.

SNIFF! SNIFF!

HMM... ÇA ME RAPPELLE UN PEU LE QUARTIER OÙ EST-CE QUE C'EST QUE J'HABITE, À ROME.

VOUS HABITEZ PRÈS D'UNE TANNERIE?

OUI! IL A DEVINÉ! C'EST UN DEVIN!

Ô... OOOOOH CENTURION!

L'AIR EST IRRESPIRABLE DANS LE VILLAGE... PESTILENTIEL!

SNIFF! SNIFF!

PES... PESTILENTIEL?

ET C'EST UN ANCIEN QUI VOUS LE DIT! J'EN AI FAIT DES CAMPS ET DES CASERNES, MAIS JE N'AI RIEN RESPIRÉ DE COMPARABLE À CECI!

PRODIGIEUX! TU ES PRODIGIEUX! LES DIEUX T'OBÉISSENT!

MAIS CE N'EST PAS POSSIBLE! CE N'EST PAS POSSIBLE!

TROMPETTE! SONNE LE RASSEMBLEMENT! NOUS ÉVACUONS CE VILLAGE INFERNAL, MAUDIT PAR LES DIEUX!

OH NON! SI JE SOUFFLE LÀ-DEDANS, ÇA VA MAL SE TERMINER!

TARiiiTARAAEUUUBEUHHHH!

LA PRÉDICTION S'EST ACCOMPLIE! C'EST UN VRAI DEVIN!

AH! QU'EST-CE QUE JE VOUS DISAIS?

JE SUIS RETOURNÉ AU VILLAGE POUR CHERCHER MA LYRE, QUE J'AVAIS OUBLIÉE, ET J'AI RESPIRÉ L'AIR NAUSÉABOND DES PROFONDEURS INFERNALES! MÊME LES ROMAINS ONT DÛ FUIR!

TU VOIS? TU VOIS? NOUS AURIONS DÛ PARTIR POUR LUTÈCE COMME L'AVAIT DIT LE DEVIN! GROS SANGLIER ABRUTI!

MIMINE... JE NE SUIS PLUS TON COCHONNET?

BON, EH BIEN JE ME PASSERAI DE LYRE.

Ô MATRONE BLEUE Ô ♪♯ MATRONE BLEUE!

TCHOUF!

TU ES FOU? REVIENS!

JE PRÉFÈRE RESPIRER L'AIR NAUSÉABOND PLUTÔT QUE D'ÉCOUTER ÇA!

ET POURQUOI TU CHANTES?

PARCE QUE LE DEVIN M'A DIT QUE MON GENRE DE VOIX SERAIT À LA MODE DANS L'AVENIR, ALORS, JE ME PRÉPARE.

EH BIEN, IL NE NOUS RESTE QU'À ATTENDRE QUE L'AIR FRAIS DISSIPE LA MAUVAISE ODEUR DU VILLAGE, ET NOUS IRONS CHERCHER NOS AMIS...

QUANT AUX ROMAINS, JE VOUS FAIS CONFIANCE; VOUS TROUVEREZ QUELQUE CHOSE.

MOI J'AI TROUVÉ; ON VA CHEZ EUX ET ON CASSE TOUT.

OÙ VAS-TU CHERCHER TOUT ÇA?

OH, JE NE SUIS PAS QU'UN BEAU GRAND GUERRIER ROUX À TRESSES; IL Y EN A LÀ-DEDANS!

PENDANT CE TEMPS...

OUF! ÇA VA MIEUX... JE DIRAIS MÊME QUE TOUT VA BIEN!

MAIS NOUS AVONS DÛ ABANDONNER LE VILLAGE QUE NOUS ÉTIONS.

BAH! GRÂCE AU DEVIN, NOUS AVONS CHASSÉ LES DISSIDENTS GAULOIS. C'EST LE PRINCIPAL.

BON, ALORS CE COUP-CI, ON L'EMBARQUE?

NON!

MAIS, LES ORDRES...

CET HOMME EST UN IMPOSTEUR. NOUS N'AVONS PAS DE RAISONS DE L'EMPRISONNER.

(30A)

EXCUSEZ-MOI DE VOUS DEMANDER PARDON, MAIS JE NE COMPRENDS PAS...

C'EST NORMAL! C'EST POUR ÇA QUE JE SUIS CENTURION ET QUE TU N'ES QU'OPTIONE *

BONG! BONG! BONG!

* ADJUDANT.

LÀ, D'ACCORD.

VIENS DANS MA TENTE. J'AI À TE PARLER.

LA PREUVE EST DONC FAITE : TU ES UN DEVIN. LES DIEUX SE SONT FÂCHÉS CONTRE CEUX QUI ONT DOUTÉ DE TOI, ET ONT MAUDIT LEUR VILLAGE...

BEN... IL FAUT AVOUER...

JE DEVRAIS TE FAIRE ARRÊTER. MAIS TU PEUX M'ÊTRE UTILE POUR CONDUIRE MA CARRIÈRE... AVEC TES CONSEILS, TES PRÉDICTIONS, JE POURRAI ALLER LOIN... JE POURRAI MÊME DEVENIR...

CÉSAR!

ET JE NE SERAI PAS INGRAT. MAIS ATTENTION! SI TU N'ES PAS UN VRAI DEVIN, SI TU T'ES MO-QUÉ DE MOI, JE NE TE LE PARDONNERAI PAS!!!

(30B)

JE N'Y·COMPRENDS PLUS RIEN...SUIS-JE DEVENU UN VRAI DEVIN?...

EN TOUT CAS, J'AIMERAIS QU'ILS PERDENT TOUS CETTE MANIE DE ME SAISIR PAR LE DEVANT DE...

DIS UN CHIFFRE DE I A XII!

CLIGLIGCLIG!

GLOUC!

BEN...EUH... VIII

PSST!

?

ATTENTION! JE DOIS ÊTRE LE SEUL À SAVOIR QUE TU ES UN VRAI DEVIN... MAIS LÀ, TU AS ÉTÉ TROP HABILE... MÊME CET IMBÉCILE POURRAIT AVOIR DES SOUPÇONS...

JE...JE ME SENS UN PEU LAS...

JE NE SAIS PLUS OUSQUE C'EST QUE J'EN SUIS...

JE PEUX VOUS AIDER?

NON. TU COMPRENDS MOINS QUE MOI, PUISQUE JE SUIS OPTIONE ET TU N'ES QUE LÉGIONNAIRE.

CRÉTIN!

PENDANT CE TEMPS...

TCHOUF! TCHOUF! TCHOUF!

PANORAMIX! TE VOICI ENFIN!

PEUT-ÊTRE POURRAS-TU APAISER LA COLÈRE DES DIEUX QUI S'EST ABATTUE SUR NOTRE PAUVRE VILLAGE...

SOTTISES! VOUS AVEZ ÉTÉ VICTIMES DE VOTRE CRÉDULITÉ!

PARDON! PARDON! J'AI VU LE VILLAGE! J'AI HUMÉ L'AIR INFERNAL! J'AI VU LES ROMAINS TOUT VERTS!

OUAIS! NOTRE BARDE A UNE VOIX DE SISTRE *, MAIS IL NE MENT PAS.

* SORTE DE CRÉCELLE MÉTALLIQUE.

TU SAIS CE QU'IL TE DIT LE BARDE DE SA VOIX DE SISTRE?!

DU CALME. JE VAIS VOUS FAIRE UNE DÉMONSTRA-TION DE LA COLÈRE DES DIEUX.

OBÉLIX! VIDE CETTE MARMITE ET...

...APPORTE-LA MOI.

VOILÀ!

PEU APRÈS...

TRÈS BIEN. METTEZ-VOUS TOUS PAR LÀ. SOUS LE VENT.

36

NE BOUGEONS PLUS!

RSSCH CH CH!

PAR TOUTATIS! C'EST INSUPPORTABLE!

?

ASSEZ, PAR BÉLÉNOS! ASSEZ!

OOOOH LÀ LÀÀÀÀ!

MAIS QU'EST-CE QUE VOUS AVEZ?

CHEF! TU DEVRAIS TE PENCHER UN PEU PLUS SUR NOS PROBLÈMES!

LA VOICI, LA COLÈRE DES DIEUX : UNE MIXTURE DANS UNE MARMITE!

ÇA N'A PAS L'AIR DE TE DÉRANGER TELLEMENT, L'ODEUR.

BEN TU SAIS, AVEC SES POISSONS...

SPLATCH!

JE PENSE QUE TU SAIS CE QUI TE RESTE À FAIRE ?

JE CROIS QUE OUI, PANORAMIX...

CETTE NUIT NOUS RENTRONS AU VILLAGE. **DANS LE CALME !**

ET CETTE NUIT-LÀ, JUSTEMENT...

JETEZ L'ANCRE !

NE CROIS-TU PAS QU'IL EST DANGEREUX DE MOUILLER ENTRE LA CÔTE GAULOISE ET CETTE ÎLE INCONNUE, CAPITAINE ?

MEUH NON ! NOUS AVONS CONSULTÉ LES ENTRAILLES D'UN MAQUEREAU, ET L'ORACLE EST FORMEL : CE MOUILLAGE EST ABSOLUMENT SANS DANGER POUR LA NUIT.

34a

LE LENDEMAIN MATIN...

C'EST QUAND MÊME TERRIBLE ! NOUS AVONS ÉTÉ TRAVERSÉS PAR UN BANC DE GAULOIS !

GLOU ! GLOU ! GLOU ! GLOU ! GLOU !

JE VOUS P'ÉVIENS : LE P'OCHAIN QUI ÉVENT'E QUOI QUE CE SOIT POU' LI'E DANS LES ENT'AILLES, JE L'ÉT'IPE ! SANS 'I'E !

OH, LAISSE TOMBER TES GRANDS AIRS !

34b

AH! ÇA FAIT TOUT DE MÊME PLAISIR DE SE RETROUVER CHEZ SOI!

OH, JE CROIS QUE NOUS SERIONS TOUT DE MÊME MIEUX À LUTÈCE, COMME L'AVAIT DIT LE DEVIN.

MAIS PUISQUE CE N'EST PAS UN VRAI DEVIN!

EN ES-TU SÛR?

J'EN AI PARLÉ À LA FEMME D'AGECANONIX ET À IÉLO-SUBMARINE, ET ELLES NE SONT PAS CONVAINCUES. C'EST POUR ÇA QUE J'AI PENSÉ QU'À LUTÈCE...

PANORAMIX, LES FEMMES NE SONT PAS CONVAINCUES QU'IL S'AGIT D'UN IMPOSTEUR...

PARDI! LE CHARLATAN NE LEUR A PRÉDIT QUE DES CHOSES AGRÉABLES: QUE LEUR MARI DEVIENDRAIT BEAU ET INTELLIGENT, PAR EXEMPLE...

ET SI ON FAISAIT UNE SURPRISE AU DEVIN?

ASTÉRIX, JE SUIS FIER DE TOI! FAIRE UNE SURPRISE À UN DEVIN, C'EST PROUVER QU'IL S'AGIT D'UN FAUX DEVIN!

PARCE QUE MOI, J'AI BESOIN DE DEVENIR BEAU ET INTELLIGENT?

ORGANISE NOTRE PETITE SURPRISE, ASTÉRIX! MOI, JE VAIS PRÉPARER DE LA POTION MAGIQUE!

PEU APRÈS...

ALORS, NOUS SOMMES D'ACCORD? SI LE DEVIN NE DEVINE PAS CE QUI L'ATTEND, VOUS SEREZ CONVAINCUS QUE CE N'EST PAS UN VRAI DEVIN?

GAULOIS! NOTRE CENTURION T'ATTEND DANS SA TENTE.

ENCORE?

AH, DEVIN! PARLE-MOI UN PEU DE MON AVENIR.

FLOP!

MAIS JE VOUS AI DÉJÀ TOUT DIT: LES DIEUX VOUS PROTÈGERONT, VOUS MONTEREZ EN GRADE, VOUS...

JE SAIS, MAIS RACONTE-MOI COMMENT ÇA SE PASSERA QUAND JE SERAI CÉSAR.

EH BIEN, TU SERAS TRÈS PUISSANT, ET LE PEUPLE TE CRAINDRA...

TRÈS BIEN, TRÈS BIEN... ET CLÉOPÂTRE?

CLÉOPÂTRE? QUOI, CLÉOPÂTRE?

TU AS ENTENDU PARLER DE CLÉOPÂTRE NON?!

OUI! OUI, OUI!

CLÉOPÂTRE OUBLIERA BIEN VITE JULES CÉSAR, ET ELLE SERA FOLLEMENT AMOUREUSE DE TOI...

ÇA ALORS! ET ELLE M'INVITERA À BORD DE SON BATEAU? ET IL Y AURA DES DANSEUSES? ET ON ME SERVIRA DES METS RAFFINÉS?

OUI, OUI, ON TE SERVIRA DES... DES OREILLES DE TRUIE CONFITES.

DES OREILLES DE TRUIE CONFITES? AH, DEVIN, TU ES PRODIGIEUX!

ET, PENDANT QUE LES ROMAINS, GRANDS ENFANTS, NE SE DOUTENT DE RIEN, TOUT PRÈS DU CAMP...

ATTENDEZ-NOUS SANS FAIRE DE BRUIT. OBÉLIX ET MOI, ALLONS NOUS OCCUPER DES SENTINELLES.

CHUT!

?

QUOI, CHUT?

C'EST UNE SURPRISE.

TCHAC!

MAIS... MAIS CE N'EST PAS UNE SURPRISE, ÇA!

...TCHOC!

DIS, ASTÉRIX, IL A DIT QUE CE N'ÉTAIT PAS UNE SURPRISE. TU CROIS QUE LE DEVIN LES AVAIT PRÉVENUS?

NE COMPLIQUE PAS LES CHOSES! VA DIRE AUX AUTRES QU'ON PEUT Y ALLER.

BRROOOUMMMM!

BANG! PAF! CLONC! BING! TOING!

...ET PUIS, APRÈS LES OREILLES DE TRUIE CONFITES, CLÉOPÂTRE DANSERA POUR TOI, ET...

CES BRUITS? QUELS SONT CES BRUITS?

SURPRISE!

?!

38

LES GAULOIS!!!

LES GAULOIS DANS LE CAMP ET TU NE M'AVAIS PAS PRÉVENU ?!!

MAIS JE NE POUVAIS PAS LE DEVINER...

LAISSEZ-LE-MOI.

?

TU NE POUVAIS PAS DEVINER ? ALORS LUTÈCE, COCHONNET ASSOCIÉ DE MON FRÈRE, TOUT ÇA C'ÉTAIT DES BLAGUES ?

BRAVO MADAME!

PAFF!

PAFF!

À L'ATTAQUE!

C'ÉTAIT MIMINE ÇA!

ZZWWIP!

LES FEMMES N'ONT PAS LE DROIT D'ENTRER DANS LE CAMP! LES FEMMES N'ONT PAS LE DROIT D'ENTRER DANS LE CAMP!

MAIS ENFIN, MADAME! QUE ME VOULEZ-VOUS ?

44

QUI ES-TU ROMAIN ? QUE FAIS-TU DANS MON VILLAGE ?

BEN...EUH... C'EST À DIRE...

ÇA VA, ÇA VA! ASSEZ DE ROMAINS POUR AUJOURD'HUI. CHASSEZ-MOI CES DEUX-LÀ !

AH, TU NE POUVAIS PAS DEVINER! AH, TU N'ES PAS UN VRAI DEVIN! AH, TU T'ES MOQUÉ DE MOI!

ON NE VOUS DÉRANGE PAS ?

?

QUI ÊTES-VOUS ?

CLAUDIUS BLOCUS, ENVOYÉ SPÉCIAL DE JULES CÉSAR. VOILÀ QUI JE SUIS.

CENTURION, TU AVAIS ENVOYÉ UN MESSAGE À ROME POUR DIRE QUE TOUTE LA GAULE ÉTAIT OCCUPÉE. TOUTE ? TOUTE !

LE MESSAGER! JE L'AVAIS OUBLIÉ CELUI-LÀ !

EH BIEN, JULES CÉSAR M'A DEMANDÉ DE VÉRIFIER TES DIRES; DE VOIR SI TU AVAIS VRAIMENT VAINCU CES GAULOIS DISSIDENTS...

PAR JUPITER! QU'EST-CE QU'ILS NOUS ONT MIS, TES VAINCUS!

46

JE NE SAIS PAS DE QUOI DEMAIN SERA FAIT, MAIS J'EN AI TERMINÉ AVEC LE MÉTIER DE DEVIN!...

ET SI UN JOUR JE CHANGE D'AVIS, QUE TARANIS FASSE TOMBER LE CIEL SUR MA TÊTE!

BRAOUM!

MAIS LA COLÈRE DE TARANIS EST DE COURTE DURÉE...

...ET BIENTÔT, TOUTATIS FAIT BRILLER LE SOLEIL SUR LE VILLAGE APAISÉ.

EH BIEN, MON OBÉLIX, JE NE SAIS PAS CE QUE T'AVAIT PRÉDIT CE DEVIN, MAIS JE SUIS SÛR QUE TU SERAS TRÈS HEUREUX.

TU N'ES PAS DEVIN, ASTÉRIX.

NON? JE T'AVAIS POURTANT DIT QUE NOUS REFERIONS UN BANQUET DANS NOTRE VILLAGE... EH BIEN, IL Y EN AURA UN CE SOIR!

ÇA C'EST VRAI! TU L'AVAIS PRÉDIT!

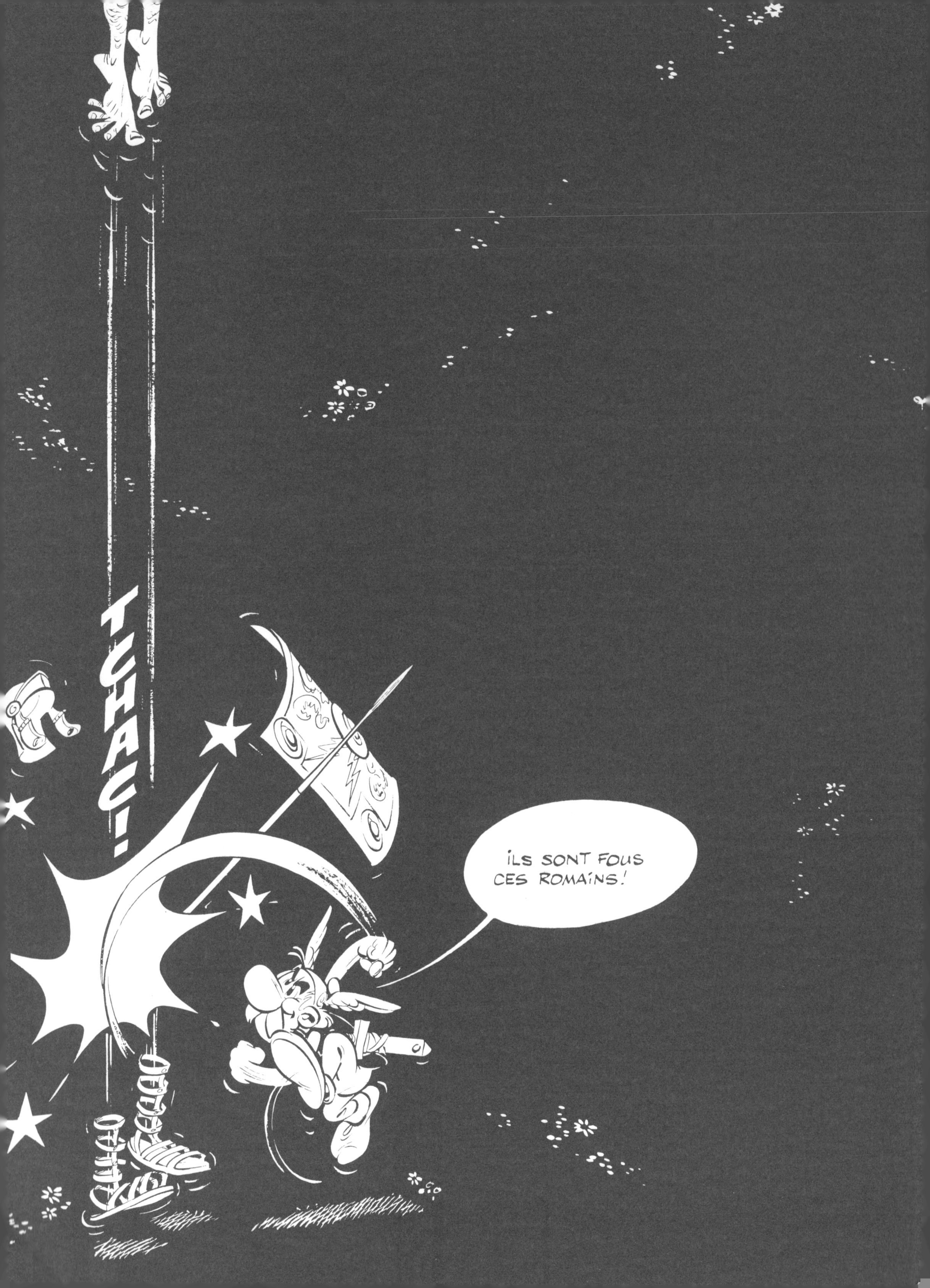
TCHAC!!
ILS SONT FOUS CES ROMAINS!